Francisco Dion

Educação Física no Ensino Médio: os alunos têm interesse?

Estudo de caso

Novas Edições Acadêmicas

Imprint

Cover image: www.ingimage.com

Publisher:
Novas Edições Acadêmicas
is a trademark of
International Book Market Service Ltd., member of OmniScriptum Publishing Group
17 Meldrum Street, Beau Bassin 71504, Mauritius

Printed at: see last page
ISBN: 978-613-9-71325-7

Francisco Dionleno Rodrigues Holanda

Educação Física no Ensino Médio: os alunos têm interesse?

RESUMO

Título: Educação Física no Ensino Médio: Por que os alunos perdem o interesse?

Nome do Aluno: Francisco Dionleno Rodrigues Holanda

Orientador: Michele Pereira de Souza da Fonseca

O presente estudo busca investigar os motivos que levam os alunos do Ensino Médio a perderem o interesse nas aulas de Educação Física. Foi realizada uma pesquisa, através de questionário composto por perguntas abertas e fechadas, com 191 alunos de três colégios de diferentes contextos, a fim de entender e analisar os resultados, correlacionando com o conteúdo teórico apresentado por diferentes autores, buscando uma reflexão sobre os principais motivos que causam o desinteresse nas aulas de Educação Física. A disciplina é muito questionada por seu real significado e os alunos, mesmo os que gostam, não atribuem valor. Conclui-se então que são fatores intrínsecos, ligados ao gosto pessoal do aluno, e extrínsecos, como estrutura, material, professor/escola, são as questões mais apontadas pelos alunos, que ao não valorizarem os conteúdos, perdem o interesse pelas aulas.

Palavras-chave:

Educação Física	Ensino Médio	Interesse

SUMÁRIO

1. INTRODUÇÃO

Atualmente é notório que a prática de atividade física traz inúmeros benefícios à saúde e ao bem-estar. Estudos revelam que a prática regular e bem orientada do exercício físico pode ser vista como uma contribuição importante para a saúde (FERREIRA 2001). Em crianças e adolescentes, um maior nível de atividade física contribui para melhorar o perfil lipídico e metabólico e reduzir a prevalência de obesidade, conforme Lazzoli *et al* (1998). E nesse sentido, é provável que uma criança fisicamente ativa se torne um adulto também ativo.

Nesse contexto, segundo Darido *et al* (1999), a Educação Física escolar tem papel fundamental na apresentação das atividades físicas e sua importância aos alunos e sua função no Ensino Médio, deve ser a educação para um estilo de vida ativo.

Em nosso país, a Educação Física foi reconhecida pelo Governo Federal através do Decreto Lei 1212/39, que oficialmente inclui o curso superior de Educação Física confirmada pela Lei Nº. 9.394/96 de 20 de dezembro de 1996 que normaliza "As Diretrizes e Bases da Educação Nacional (LDB)", e que manda nos artigos seguintes:

> Art. 26, parágrafo 3° - "A educação física, integrada à proposta pedagógica da escola, é componente curricular da Educação Básica, ajustando-se às faixas etárias e às condições da população escolar, sendo facultativa nos cursos noturnos".

No ano de 2003 houve uma alteração na redação deste artigo, tendo em vista a prática facultativa nos cursos noturnos e passou a vigorar o seguinte:

LEI Nº 10.793, DE 1º DE DEZEMBRO DE 2003.

O PRESIDENTE DA REPÚBLICA Faço saber que o Congresso Nacional decreta e eu sanciono a seguinte Lei:

Art. 1º O § 3º do art. 26 da Lei nº 9.394, de 20 de dezembro de 1996, passa a vigorar com a seguinte redação:

"Art. 26

§ 3o A educação física, integrada à proposta pedagógica da escola, é componente curricular obrigatório da educação básica, sendo sua prática facultativa ao aluno:

I – que cumpra jornada de trabalho igual ou superior a seis horas;

II – maior de trinta anos de idade;

III – que estiver prestando serviço militar inicial ou que, em situação similar, estiver obrigado à prática da educação física;

IV – amparado pelo Decreto-Lei nº 1.044, de 21 de outubro de 1969;

V – (VETADO)

VI – que tenha prole.

Diante deste direito garantido por lei e na possibilidade do exercício contribuir positivamente para a saúde é que a Educação Física terá uma função importante no direcionamento dos alunos ao conhecimento das práticas corporais. A respeito da função da Educação Física:

> [...] a educação física deve levar o aluno a descobrir motivos e sentidos nas práticas corporais, favorecer o desenvolvimento de atitudes positivas para com elas, levar à aprendizagem de comportamentos adequados à sua prática, levar ao conhecimento, compreensão e análise de seu intelecto os dados científicos e filosóficos relacionados à cultura corporal de movimento, dirigir sua vontade e sua emoção para a prática e a apreciação do corpo em movimento. (BETTI; ZULIANI, 2002, p. 75).

Seguindo este raciocínio, Betti e Zuliani (2002) informam que o Ensino Médio caracteriza-se por dois grupos de alunos: 1°) os que vão identificar-se com o esforço metódico e intenso da prática esportiva formal ligadas ao bem-estar, os que provavelmente irão gostar e se identificar com sua prática, e 2°) os que vão perceber na Educação Física sentidos vinculados somente ao lazer, desvalorizando sua prática e perdendo o gosto. Nesta fase, os alunos de Ensino Médio, os adolescentes, adquirem uma visão mais crítica, e já não atribuem à Educação Física tanto crédito.

O fato de que a adolescência é um momento da vida que se caracteriza por muitas mudanças físicas e psicológicas, influi nos desejos e interesses dos jovens, proporcionando diferentes gostos e visões de mundo. De Paula e Fylyk (2013) afirmam que durante a adolescência a imagem corporal começa se estabelecer, mas as mudanças físicas acabam fazendo com que haja uma frequente reanálise da imagem corporal pelo adolescente, começa a existir a preocupação com o corpo. Ainda neste contexto, De Paula e Fylyk (2013) a respeito da adolescência informam que:

> É na adolescência também que se desenvolve a identidade pessoal. O desenvolvimento do eu e da identidade pessoal está diretamente ligado à própria história do adolescente. É nessa fase que o ser humano começa a ter memória bibliográfica, interpretação das experiências do passado e o meio para enfrentar os desafios do momento e das expectativas do futuro, ter relações sociais com os demais tentando se relacionar como uma pessoa psicossocialmente madura e sadia.(p.3)

Diante disso, pode-se verificar que nesta fase do aluno, a Educação Física pode surgir como um instrumento importante na formação de sua personalidade, dependendo do seu interesse, ou não, pelo que ela possa lhe oferecer.

Além de ser um instrumento na formação do aluno, vale ressaltar que o alto índice de problemas de saúde relacionados ao sedentarismo, que afetam principalmente a população inativa, como hipertensão, problemas cardiovasculares, entre outros, faz com que se torne necessário analisar o que leva os alunos do Ensino Médio a perderem o interesse nas aulas de Educação Física, buscando entender os motivos que levam os alunos a não gostarem das aulas, visto que hoje o senso comum já aceita que a prática de atividade física faz bem à saúde, segundo Ferreira (2001).

Dentro desse conceito da importância da prática de atividade física, o presente estudo busca problematizar os motivos pelos quais os alunos do Ensino Médio não gostam da prática das aulas de Educação Física e alguns fatores que podem estimula-los positiva ou negativamente, respondendo a pergunta: Por que os alunos do Ensino Médio perdem o interesse nas aulas de Educação Física escolar?

Pretende-se, nesse sentido, identificar os motivos que fazem com que os alunos do Ensino Médio percam o interesse nas aulas de Educação Física e de que forma o professor pode agir como um agente motivador das práticas corporais.

Este estudo teve origem a partir de uma inquietação que surgiu quando eu cursava o Ensino Médio no Colégio Pedro II, e não entendia o motivo de muitos alunos que faziam as aulas comigo no ensino fundamental, deixavam de praticar as aulas no Ensino Médio. Ao pesquisar sobre o desinteresse nas aulas de Educação Física no Ensino Médio, em sites como Scielo e RBCE, não encontrei nenhum artigo utilizando estas palavras como chave, e a partir dai busquei realizar este estudo que traz uma reflexão sobre motivos que fazem com que os alunos do Ensino Médio se desinteressem pelas aulas.

Os capítulos seguintes irão esclarecer a fundamentação teórica deste estudo. O próximo capítulo discutirá a respeito da Educação Física no Ensino Médio e o papel do professor como agente motivador. Em seguida, o capítulo direciona o estudo a uma pesquisa realizada em três turmas de cada série do Ensino Médio de três escolas do Estado do Rio de Janeiro, o Colégio Pedro II, o Colégio Estadual Souza Aguiar e o Colégio e Curso Progressão.

2. FUNDAMENTAÇÃO TEÓRICA

2.1 EDUCAÇÃO FÍSICA NO ENSINO MÉDIO

Desde os tempos mais remotos, a Educação Física esteve presente na vida do homem, assumindo diferentes hábitos, conceitos, formas e nomes. De acordo com Betti e Zuliani (2002), o conceito de Educação Física surge em obras de filósofos que estavam preocupados com a educação e formação das crianças e dos jovens de forma integral – corpo, mente e espírito -, como desenvolvimento pleno da personalidade.

A partir de 1960 na Europa e nos Estados Unidos, e, a partir de 1980 no Brasil, começaram a surgir os cursos de Educação Física com organização em torno das sistematizações e produções de novos conhecimentos relacionados à área. Assim a Educação Física passa a assumir novos objetivos com relação a sua prática pedagógica, assumindo a responsabilidade de preparar o aluno para ser um praticante lúcido e ativo, referem Betti e Zuliani (2002).

Segundo Ferreira (2001), a Educação Física como disciplina escolar, não deve estar limitada a questão de encorajar os alunos a adotarem um estilo de vida ativo, mas sim promover um desenvolvimento integral do aluno, capaz de desenvolver seu pensamento crítico com relação a determinantes sociais e econômicos. Neste sentido:

> É necessário que a educação física escolar supere as limitações da aptidão física relacionada à saúde se, de fato, pretende contribuir para uma efetiva formação do individuo em conjunto com a popularização do exercício físico. Um passo inicial e importante está em legitimar o seu papel na escola. (FERREIRA, 2001, p.49)

Desta forma, a Educação Física deve estar sempre preocupada com a formação integral do individuo, buscando formar cidadãos críticos capazes de atuar na sociedade e que incorporem e usufruam do esporte e dos demais componentes da cultura corporal de movimento.

O momento em que o aluno ingressa no Ensino Médio, caracteriza-se como um momento de transição, em que o individuo não somente irá entrar em uma nova série, como também entrará em outra fase de sua vida, deixado os últimos anos da infância e iniciando sua adolescência, caracterizada por Palma *et al* (2012), como um momento de mudanças, em que o jovem busca uma posição no grupo, uma posição social e pessoal, além de estar passando por mudanças físicas relacionadas à maturação.

De acordo com as orientações curriculares para o Ensino Médio (OCEM 2006), o entendimento que os alunos têm de si mesmos, do seu corpo e do corpo dos outros, de seus valores e posicionamentos éticos e estéticos, de seus projetos de vida pessoal e do lugar que a escola ocupa nesses projetos são as questões que constroem o papel da Educação Física e os lugares que ela pode ocupar em suas vidas.

No contexto das mudanças do sujeito do processo de ensino aprendizagem, o modo com que as aulas são ministradas deve ser revisto, deve-se romper com as práticas esportivas, fortemente utilizadas nas séries anteriores, no ensino fundamental, e passar a trabalhar novos conteúdos, relacionados aos interesses do aluno. Nesse sentido, Santos e Piccolo criticam a repetição dos conteúdos:

> As aulas de Educação Física no Ensino Médio costumam repetir os programas do Ensino Fundamental, resumindo-se às práticas dos fundamentos de algumas modalidades esportivas e à execução dos gestos técnicos esportivos. É como se a Educação Física se restringisse a isso. Não se trata,

> evidentemente, de desprezar tais práticas no contexto escolar, mas sim de ressignificá-las. (SANTOS; PICCOLO, 2011, p.69)

Nesse sentido, a Educação Física deve assumir a tarefa de introduzir e integrar o aluno na cultura corporal de movimento, formando o cidadão que vai produzi-la, reproduzi-la e transforma-la. Sem deixar de lado os interesses característicos desta nova fase, como sexualidade, trabalho, seleção para o ensino superior, etc.

> Portanto, a Educação Física no Ensino Médio deve propiciar o atendimento desses novos interesses, e não reproduzir simplesmente o modelo anterior, ou seja, repetir, às vezes apenas de modo um pouco mais aprofundado, os conteúdos do programa de Educação Física dos últimos quatro anos do Ensino Fundamental.(BETTI; ZULIANI, 2002, p.76)

Sendo assim, mais que a apresentação da importância da atividade física, seus benefícios, e técnicas de execução, a aula de Educação Física no Ensino Médio deve estar preocupada com o novo núcleo de interesses de seus alunos, buscando atuar de forma significativa em seu processo de amadurecimento e de formação. O professor de Educação Física tem o papel de esclarecer a importância da disciplina na formação do aluno, com objetivo de apagar a visão de que a Educação Física não tem um papel no contexto pedagógico da escola e é uma mera reprodução esportiva do ensino fundamental.

Para Nahas (1997) *apud* Darido (1999), a função da Educação Física para o Ensino Médio deve ser a educação para um estilo de vida ativo. O objetivo é ensinar os conceitos básicos da relação entre atividade física, aptidão física e saúde, além de proporcionar vivências diversificadas, levando os alunos a escolherem um estilo de vida mais ativo.

Neste sentido, cabe a Educação Física assumir a responsabilidade de formar um aluno capaz de posicionar-se diante das diferentes formas da cultura corporal de movimento, como o esporte-espetáculo dos meios de comunicação, as atividades em academias, as práticas individuais, etc. ciente de seus benefícios em função de uma boa qualidade de vida (BETTI e ZULIANI 2002).

É tarefa da Educação Física, preparar o aluno para ser um praticante lúcido e ativo, que incorpore o esporte e os demais componentes da cultura corporal em sua vida, para deles tirar o melhor proveito possível, sabendo posicionar-se com relação a eles.

Vale ressaltar que é importante que a Educação Física procure atender todos os alunos, principalmente aos que mais necessitam, como os desinteressados, sedentários, baixa aptidão física, obesos e pessoas com deficiências.

Betti (1992) entende que a Educação Física escolar é a área que trata da cultura corporal de movimento e tem como finalidade introduzir e integrar o aluno nesta esfera, capacitando o aluno a usufruir dos jogos, esportes, danças e ginásticas em benefício do exercício crítico da cidadania e melhoria da qualidade de vida.

Daolio (1996) acrescenta ainda que a Educação Física Escolar deva estar atenta à importância cultural de sua prática, ou seja, a Educação Física deve manter uma relação com o contexto cultural que influencia a formação do acervo motor dos alunos. A partir desse acervo e de seu enriquecimento cultural, os alunos terão a possibilidade de expressarem movimentos mais livres, facilitando o processo de ensino aprendizagem e a participação nas aulas de Educação Física.

2.2 O PROFESSOR COMO AGENTE MOTIVADOR

O professor de Educação Física, tem um papel fundamental no estimulo a prática da aula de Educação Física. Cabe a ele a função de significar sua prática pedagógica e preocupar-se com a fundamentação de suas aulas, visando atrair os alunos e dar um sentido aos conteúdos. Para Santos e Piccolo (2011):

> O professor, em sua prática pedagógica, pode propiciar elementos que favoreçam a formação desses jovens como agentes transformadores. Mas é necessário, também, que o professor identifique os instrumentos de ação pedagógica a serem usados em suas aulas de Educação Física, estimulando a automotivação dos seus alunos, tornando-os mais criativos em busca de seu desenvolvimento. (p.65)

O professor não deve apenas seguir uma linha de raciocínio, de que ensinar Educação Física é ensinar a praticá-la. O professor de Educação Física deve auxiliar o aluno a compreender o seu sentir e o seu relacionar-se na esfera da cultura corporal de movimento, fazendo com que ele possa se conhecer para desenvolver-se de forma integral. Daolio (1996) refere que a tarefa do professor será a de proporcionar a todos as mesmas oportunidades de acesso a cultura de movimento, formando o cidadão que irá reproduzi-la e transforma-la.

O Ensino Médio sempre privilegiou a prática dos esportes não considerando os demais componentes da cultura corporal, afirma Darido *et al* (1999). Diante deste quadro, o professor deve oferecer um amplo campo de experiências aos alunos, que vão além dos desportos tradicionais, tidos como objeto principal nas aulas vivenciadas no ensino fundamental e muitas vezes reproduzidos no Ensino Médio, o que faz com que os alunos não vejam um significado e não sintam vontade de praticar a aula. O professor deverá procurar levar os alunos, ao realizar as ações motoras, compreender seu significado e as formas de execução. Neste sentido, Daolio (1996) aponta que:

> Ao contrário das séries anteriores, onde os alunos raciocinam ainda vinculados a uma experiência real, os adolescentes, ao pensarem hipoteticamente, podem trabalhar com a cultura corporal não só no sentido de vivenciá-la, mas também compreendendo-a, criticando-a e transformando-a. Assim, pode-se pensar numa Educação Física que, além da vivência de movimentos esportivos, ginásticos ou de dança, assegure também um conhecimento a respeito dessas expressões corporais.(p.42)

O professor deve romper com a repetição, mais aprofundada, do programa do ensino fundamental e apresentar novas propostas, que considerem o contexto que os alunos estão inseridos, como temas transversais, que através de outras atividades possam trabalhar questões relacionadas a violência, sexualidade, sociedade, entre outros, oferecendo ao aluno diferentes vivencias na esfera da cultura corporal de movimento.

Neste contexto, seria interessante trabalhar um planejamento participativo, onde o conteúdo das aulas seria formulado de acordo com os interesses dos alunos, dando a eles a oportunidade de sugerir a escolha da atividade, ou trabalhar temas adjacentes, como teatro, por exemplo, levando em consideração o momento característico do Ensino Médio, o que poderia despertar seu interesse nas aulas de Educação Física.

Deve existir uma preocupação em dialogar com os alunos, perguntando quais as atividades que eles gostariam de praticar durante as aulas ou apenas dar a eles a opção de escolherem entre algumas atividades e fazer uma discussão sobre os benefícios, significados e importância destas atividades. Segundo Chicati (2000), considerar os interesses do aluno pode reduzir o índice de desmotivação nas aulas, pois os alunos poderiam escolher alguma atividade que fosse de seu agrado e teriam mais conhecimento e informação sobre ela, resultando em um prazer em participar.

Darido (2004) aponta que os alunos identificam o professor como principal responsável pelo gostar ou não da disciplina e cabe a ele a função de propiciar a todos as mesmas oportunidades de acesso as suas possibilidades motoras em conjunto com as influências que sofrem de seu contexto social, apresentando-lhes a cultura corporal de movimento que deverá ser tratada como um conhecimento a ser sistematizado e reconstruído.

Um dos objetivos da Educação Física na escola é estimular o aluno a aderir a um estilo de vida ativo, afirma Darido *et al* (1999). Neste sentido, cabe ao professor oferecer ao aluno condições para que se torne crítico a aspectos relacionados a cultura corporal de movimento e oferecer condições para que ele possa manter uma prática regular de atividades após o término formal de ensino, ciente dos efeitos positivos da atividade física (DARIDO 2004).

> O objetivo é ensinar os conceitos básicos da relação atividade física, aptidão física e saúde, além de proporcionar vivências diversificadas, levando os alunos a escolherem um estilo de vida mais ativo. O autor ainda observa que esta perspectiva procura atender a todos os alunos, principalmente aos que mais necessitam; sedentários, baixa aptidão física, obesos e portadores de deficiências. Neste sentido, foge do modelo tradicional que privilegiava apenas os mais aptos e que não atendia às diferenças individuais.(NAHAS, 1997 *apud* DARIDO, 1999 p. 140)

O professor de Educação Física é a figura responsável por estimular e motivar os alunos a prática de atividades físicas. Para Chicati (2000) a motivação não se demonstra na mesma intensidade em todas as pessoas, pois temos interesses diferenciados. Sendo assim, o professor deve estar consciente da busca por conteúdos diversificados e motivantes, para que se consiga atender aos interesses contidos nas turmas, fazendo com que essa falta de previsão que a motivação manifesta, não venha lhe causar dúvidas no que diz respeito à motivação de seus alunos.

Sendo assim, centra-se no professor a tarefa de se tornar um grande agente motivador, pois a dúvida pelo caminho a seguir, que atitudes tomar, o correto é que o professor deve estar sempre criando estratégias para atrair os alunos. A melhor delas é significar suas aulas, dar um sentido aos seus conteúdos, visto que os alunos do Ensino Médio, mais críticos, buscam respostas a todo momento, aponta Betti e Zuliani (2002).

Enquanto a atenção dos profissionais de Educação Física estiver voltada unicamente para a prática dos desportos, questões sociais maiores que o perpassam estarão despercebidas, contribuindo assim para que o nível de alunos que não gostam das aulas continue crescendo. O ponto de vista dos alunos, os significados e valores que eles atribuem às várias atividades do ensino devem ser considerados pelo professor, que pode utiliza-los como ferramenta de sua prática, atribuindo sentido e fazendo com os alunos vejam o significado na disciplina.

Diante disso, o professor não pode se eximir de estimular os alunos, visto que ele é o referencial sobre aquele conteúdo, o indivíduo capaz de apresentá-los a cultura corporal de movimento. Além disso, é preciso que a escola crie uma cultura que valorize a Educação Física, para que a disciplina, em conjunto com as demais, possa contribuir e favorecer a formação integral de seus alunos.

3. METODOLOGIA

A metodologia utilizada baseou-se em uma pesquisa de corte qualitativo, tendo em vista analisar, interpretar e avaliar as respostas obtidas no estudo. Foram utilizadas também abordagens quantitativas para explorar, complementar e ilustrar os dados obtidos. Sobre pesquisa qualitativa, Cauduro (2004) aponta que:

> Pesquisa qualitativa é aquela que procura explorar a fundo conceitos, atitudes, comportamentos, opiniões e atributos do universo pesquisado, avaliando aspectos emocionais e intencionais, implícitos nas opiniões dos sujeitos da pesquisa, utilizando entrevistas individuais, técnicas de discussão em grupo, observações e estudo documental. É fundamentalmente subjetiva (p. 20).

O instrumento de coleta de dados foi um questionário que contou com perguntas abertas e fechadas, contendo um total de 5 questões, que buscam atender os objetivos do estudo. Este questionário passou pela validação de dois professores e pesquisadores da área.

Com os dados coletados, optei por separar as respostas em categorias e analisá-las, relacionando com a literatura. Para isso me apoiei no método de análise de conteúdo de Bardin (2004). Separei pelas categorias que os alunos mais citaram e apresentei em tabelas e utilizei o discurso de alguns alunos para reforçar suas ideias e afirma seus motivos. A análise do conteúdo teórico enriqueceu as respostas dos alunos, que apontavam diferentes motivos para o desinteresse nas aulas. As respostas dos alunos em geral possibilitaram o cruzamento com os dados apresentados pelos referencias teóricos de autores o que permitiu uma maior discursão durante a análise.

Os sujeitos da pesquisa foram os alunos de três escolas da cidade do Rio de Janeiro. Optei por escolher escolas com diferentes contextos, como uma escola particular da zona norte, o Colégio e Curso Progressão (CCP), uma instituição pública federal no subúrbio, o Colégio Pedro II (CP2), unidade São Cristóvão III, e um colégio estadual do centro da cidade, o Colégio Estadual Souza Aguiar (CESA), para abranger uma população diversificada. Escolhi estas escolas pela questão da acessibilidade, pois estudei no CP2, fiz estágio supervisionado no CESA e trabalho no CCP.

Nos três colégios, solicitei autorização pessoalmente da diretora para passar o questionário nas turmas. Não encontrei dificuldades por ser conhecido pelos diretores e professores responsáveis.

Fizeram parte do estudo, três turmas de cada colégio, uma de cada ano do Ensino Médio. O critério de seleção foi as turmas que tinham aula de Educação Física no dia da visita a escola. O total de alunos participantes foi de 191, com idades entre 15 e 19 anos, de ambos os sexos.

4. ANÁLISE

A pesquisa foi realizada em três colégios de Ensino Médio. O Colégio e Curso Progressão (CCP), uma instituição particular, o Colégio Estadual Souza Aguiar (CESA), uma instituição pública da rede estadual e no Colégio Pedro II (CP2), unidade São Cristóvão, uma instituição pública federal. Participaram do estudo 191 alunos, com idades entre 15 e 19 anos, das três séries do Ensino Médio.

A primeira pergunta fazia referência ao gosto dos alunos pelas aulas de Educação Física no Ensino Fundamental e perguntava o seguinte: "Você gostava de educação física no ensino fundamental?". As respostas obtidas encontram-se na tabela abaixo:

RESPOSTAS	CPP	CESA	CP2	TOTAL
Sim	35	55	54	144
Não	7	10	30	47

Esse número elevado de respostas positivas evidencia que os alunos gostavam das aulas de Educação Física no Ensino Fundamental, o que segundo Betti e Liz (2003) ocorre devido ao fato dos alunos atribuírem as aulas de Educação Física utilidades como "desenvolver o corpo e a força", "ter mais saúde", "praticar esportes" e "ficar com o corpo mais bonito".

A Educação Física no Ensino Fundamental geralmente atrai os alunos pelo caráter lúdico e atividades voltadas a brincadeiras e jogos. Lovisolo (1995) *apud* Betti e Liz (2003) aponta que os alunos do Ensino Fundamental rejeitam na escola a "sujeira" e a "bagunça", e o que mais gostam são os professores, amigos e as aulas de Educação Física.

Entretanto, apesar de gostarem das aulas e participarem, os alunos já nesta fase, não atribuem tanto valor ao seu conteúdo, iniciando um processo de desinteresse pelas aulas. Lovisolo (1995) *apud* Betti e liz

(2003) afirma que a Educação Física é umas das matérias que os alunos mais gostam, mas que não é considerada uma das mais importantes.

> As três primeiras disciplinas de que mais gostam são Educação Física, Matemática e Português. Um dado interessante é que a Educação Física aparece em primeiro lugar na relação das disciplinas que os alunos mais gostam; entretanto está em sétimo entre as consideradas mais importantes. As seis mais importantes são: Matemática, Português, Ciências, História, Geografia e Inglês.(LOVISOLO, 1995 *apud* BETTI; LIZ, 2003, p.136)

Começamos, então, a refletir sobre os motivos que estariam relacionados a pouca atração dos alunos pela Educação Física escolar no Ensino Médio, visto que apesar de não considerarem a matéria mais importante, os alunos em sua maioria gostavam das aulas no Ensino Fundamental.

No momento de transição da infância para a adolescência, do Ensino Fundamental para o Ensino Médio, pode-se verificar que apesar do reconhecimento da importância da atividade física como fator de promoção da saúde e de prevenção de doenças, há um alto número de alunos que não gostam de praticar as aulas de Educação Física, por não considerá-la importante em sua formação escolar e atribui-la somente ao lazer.

Estudos demonstram uma progressiva desmotivação em relação a Educação Física já desde o final do Ensino Fundamental, afirmam Betti e Zuliani (2002), o que faz com que os alunos ingressem no Ensino Médio em um processo de desinteresse pelas aulas.

Segundo Santos e Piccolo (2001), alguns alunos do Ensino Médio, que não vendo mais significado na disciplina, desinteressam-se e forçam situações de dispensa das aulas, em contrapartida, valorizam muito atividades realizadas fora da escola.

Nesse sentido, surge a segunda questão: "Você pratica algum tipo de atividade física fora da escola? Qual?". Foram obtidas 90 respostas positivas, e as atividades citadas foram separadas na tabela abaixo:

Atividades citadas	CCP	CESA	CP2
Vôlei	2	4	1
Futebol/futsal	2	13	6
Lutas – MuayThai, Judô, Jiu-Jitsu, Karatê, Capoeira	3	3	6
Dança	1	2	3
Corrida/Caminhada	7	5	2
Academia/Musculação	9	5	14
Natação	1	-	7

Pode-se observar no Colégio e Curso Progressão, que há uma adesão a diferentes atividades, entre desportos, lutas e atividades em academias. Por se tratar de um colégio particular, com alunos com boas condições socioeconômicas, os alunos tem a oportunidade de frequentar ambientes que possam oferecer diferentes tipos de atividades.

No Colégio Estadual Souza Aguiar, por se tratar de um colégio estadual e receber diferentes alunos, de diferentes condições socioeconômicas, mas em geral alunos do Centro do Rio de Janeiro e de comunidades adjacentes, o esporte mais citado foi o futebol. A monocultura do futebol, ainda muito presente no interesse dos alunos, principalmente do sexo masculino, nos faz refletir sobre o sentido que os alunos atribuem as aulas de Educação Física, pois frequentemente no início das aulas o que os professores mais escutam é "Hoje é futebol, né, professor?". Diante disso, vale ressaltar a importância do professor em ensinar aos alunos que a aula de Educação Física vai além do futebol e dos jogos, trabalhar o conceito de cultura corporal e o desenvolvimento integral do indivíduo.

Sobre cultura corporal de movimento, Dietrich (1985) *apud* Mendes e Nobrega (2009):

> [...] percebemos que o termo "cultura do movimento" é compreendido como termo genérico para objetivações culturais, nas quais os movimentos são os mediadores do conteúdo simbólico, referindo-se à forma como os povos se movimentam. Todos os povos se movimentam, caminham, correm, saltam, rolam ou praticam esportes, mas também se relacionam. A este conteúdo cultural corresponde comportamento de movimento, formas de movimentar-se, caracterizando assim uma cultura de movimento. Nesse sentido, o conceito de cultura de movimento refere-se às relações existentes entre essas formas de se movimentar e a compreensão de corpo de uma determinada sociedade, comunidade, de uma cultura. (p.279)

No Colégio Pedro II, pode-se observar que há também diferentes atividades citadas, porém, atividades na academia, como musculação foi a mais citada. O colégio recebe alunos de diferentes classes sociais, por se tratar de um colégio onde sua matricula é feita apenas através de concurso público ou sorteio na primeira série da educação básica.

Diante deste quadro, pode-se observar que questões relacionadas à vida pessoal, condição socioeconômica e hábitos, podem influenciar na falta de interesse pelas aulas de Educação Física, visto que já praticam atividades em outros ambientes.

Por outro lado, estas condições também podem influenciar os alunos a um estilo de vida sedentário. Nesse sentido Betti e Zuliani (2002) informam que:

> [...] o estilo de vida gerado pelas novas condições socioeconômicas (urbanização descontrolada, consumismo, desemprego crescente, informatização e automatização do trabalho, deterioração dos espaços públicos de lazer, violência, poluição) leva um grande número de pessoas ao sedentarismo, à alimentação inadequada, ao estresse, etc. O crescente número de horas diante da televisão, especialmente por parte

> das crianças e adolescentes, diminui a atividade motora, leva ao abandono da cultura de jogos infantis e favorece a substituição da experiência de praticar esporte pela de assistir esporte.(p.74)

Buscando compreender os motivos que levam os alunos a não gostarem das aulas de Educação Física e perderem o interesse pela sua prática, surge a terceira pergunta: "Você gosta da aula de educação física atualmente? Por quê?". Foram analisadas apenas as respostas negativas e separadas na tabela abaixo:

RESPOSTAS	CCP	CESA	CP2	TOTAL
NÃO	12	24	48	84
SIM	30	41	36	107

No Colégio e Curso Progressão, os principais motivos citados foram divididos em quatro categorias:

- Aula prática x teórica

- Motivo pessoal

- Estrutura

- Absenteísmo dos colegas

Na resposta do aluno 97, que respondeu que gostava de Educação Física no Ensino Fundamental, ele relata o seguinte:

> Porque na Educação Física eu quero jogar bola e não ficar na sala (aluno 97)

Este discurso demonstra que o aluno está interessado na prática da atividade, mas que não vê um sentido em suas explicações, visto que quando a aula ocorre na sala, através de exposição de textos, explicações teóricas, acabam por desmotivar o aluno, que por não ver sentido na aula teórica torna-se adepto do "fazer pelo fazer".

A questão pessoal também foi citada pelos alunos e surge de maneira incisiva quando o aluno afirma que:

> Não gosto de esporte na escola, só com os amigos mais íntimos. Não gosto de esporte (aluno 90)
>
> Porque não gosto de praticar exercícios (aluno 68)

Outro fator que influencia os alunos desta escola é a quadra encontrar-se em um local descoberto, o que desmotiva os alunos em certas situações, como expõe o aluno 70;

> Não gosto pelo fato da localidade onde é exercida a prática da Educação Física, é muito sol e calor (aluno 70)
>
> Muito sol na quadra (aluno 98)

Isso nos faz refletir que além do esforço do professor, o gosto do aluno, fatores externos, como estrutura e material, ou a falta dele, também acabam gerando um processo de desmotivação nos alunos.

Uma categoria interessante que surgiu na pesquisa nesta escola, foi a questão dos alunos não gostarem das aulas, a partir da ausência ou falta de interesse dos colegas, que acabam não fazendo as aulas.

> Não gosto porque eu gostaria que todos praticassem as aulas de Educação Física (aluno 67)

No Colégio Estadual Souza Aguiar os principais motivos citados foram:

- Estrutura

- Obrigatoriedade das aulas

- Aula prática x teórica

- Motivo Pessoal

Assim como no Colégio e Curso Progressão, a questão estrutural surge como um motivo para que os alunos não gostem das aulas. O Colégio Estadual Souza Aguiar estava com um problema com uma obra no terreno ao lado, que interditava uma área da quadra e gerou uma desmotivação nos alunos da escola. Quando perguntado se gostava de Educação Física atualmente o aluno 26 afirma o seguinte:

> Porque tem uma obra ao lado da escola que impede que pratiquemos certas atividades (aluno 26)

Além da questão estrutural a falta de material também foi citada;

> Pois falta material e a quadra não pode ser utilizada (aluno 18)

Uma situação recorrente é o fato dos alunos não atribuírem um valor as aulas de Educação Física e se queixarem de sua obrigatoriedade. No discurso de um aluno surge a seguinte resposta:

> Educação Física tem que ser praticado como um hobbie e não como obrigação (aluno 64)

> Sou obrigada a fazer atividades das quais não gosto (aluno 57)

Novamente a relação entre aula teórica e prática causa conflito de interesses entre os alunos, que ao verem a Educação Física como uma prática corporal, apontam as aulas teóricas como motivo para não gostarem das aulas.

> Porque quase nunca usamos a quadra, Educação Física não é aula escrita (aluno 17)

> Porque Educação Física serve para praticar esporte e não ficar na sala (aluno 25)

Questões relacionadas a motivos pessoais também foram recorrentes e se evidenciam nos seguintes relatos:

> Porque não sinto vontade de fazer atividades físicas, não tenho animação (aluno 23)
>
> Porque eu não sou boa com esportes (aluno 24)

No Colégio Pedro II, um fator que não apareceu foi o estrutural, pois o colégio conta com um excelente complexo esportivo, composto por três quadras cobertas, pista de atletismo, piscina e um ginásio.

Por outro lado, surgiram aspectos que não foram citados, tais como;

- Horário

- Professor

- Preocupação com estudos

- Sem utilidade

Além dos recorrentes:

- Motivo pessoal

- Obrigatoriedade

- Aula prática x teórica

A principal queixa dos alunos do Colégio Pedro II foi o fato das aulas de Educação Física serem ministradas no turno oposto de suas aulas, os alunos da tarde, participantes da pesquisa, fazem as aulas no turno da manhã e isso influencia de forma incisiva no interesse dos alunos pelas aulas. Os alunos acabam atribuindo ao horário das aulas como principal fator de não gostarem das aulas.

> As aulas são às 8:30 da manhã e eu tenho que acordar às 6:00 da manhã para chegar na escola (aluno 137)

> Porque eu não gosto de acordar cedo e praticar esportes que não me interessam (natação) (aluno 140)

O Colégio Pedro II é um colégio tradicional pelo nível de ensino e pelo estilo "intelectual" de seus alunos, o que os torna mais críticos. Talvez por isso pela primeira vez surgiram críticas com relação ao comportamento do professor e ao método utilizado. Os alunos apontam que o professor é exigente e de certa forma autoritário, como pode-se observar nos seguintes relatos:

> É muito cedo e o professor é muito chato (aluno 144)

> Porque é em outro turno, o professor é grosso e exigente e não gosto da maioria dos esportes que o professor passa (aluno 145)

> O horário e a forma do professor dar a aula (aluno 161)

> As aulas são desmotivadas, curtas, sem interesse do professor (aluno 176)

> Não aprendo técnicas ou fundamentos, somente sou intimada a jogar (aluno170)

A preocupação com os estudos e a proximidade com a seleção para o ensino superior aparece como um aspecto que preocupa e faz com que os alunos percam o interesse nas aulas.

> Não gosto porque preciso do tempo para estudar e fazer o pré-vestibular (aluno 141)

> Porque poderia estar estudando (aluno 178)

> Porque a Educação Física subtrai um tempo que poderia ser produtivo, ou para estudos ou para atividades extracurriculares (aluno 177)

> Porque atrapalha o estudo para o vestibular (aluno 167)

Outro aspecto que surgiu neste colégio foi que os alunos não atribuem utilidade a prática das aulas de Educação Física.

> Porque não aprendo nada útil (aluno 139)

> Não me é útil fazer atividade física uma vez na semana (aluno 121)

Aspectos em comum foram os motivos pessoais, a crítica as aulas teóricas e a obrigatoriedade, como pode-se observar nos relatos a seguir:

> Não me interesso por atividades esportivas, físicas (aluno 138)
> Porque passam trabalhos para entregar na semana de provas, educação física tem que ser prova prática (aluno 118)

> Porque me obriga a fazer coisas que eu não gosto e expor meu corpo (natação) (aluno 134)

> Porque odeio atividades físicas. Não gosto do fato de ser obrigatório (aluno 183)

Apesar da pesquisa ter sido realizada em três escolas com contextos diferentes, as respostas obtidas foram parecidas. Quando um aluno relata “não gostar de esporte”, “odiar atividade física”, levanta um questionamento sobre o que o levou a esse repúdio, que experiências anteriores o levaram a este ponto. Neste contexto, Costa (1997) *apud* Darido *et al* (1999) afirma que:

> [...] os alunos nesta faixa etária (ensino médio), possuem uma opinião formada sobre a Educação Física baseado em suas experiências pessoais anteriores. Se elas foram marcadas por sucesso e prazer, o aluno terá uma opinião favorável quanto a frequentar as aulas. Ao contrário, quando o aluno registrou várias situações de insucesso, e de alguma forma se excluiu ou foi excluído, sua opção será pela dispensa das aulas, com um primeiro discurso pautado em não gostar da atividade, e transformar estas opiniões se constitui no maior desafio para os professores do ensino médio. (COSTA, 1997 *apud* DARIDO *et al*, 1999, p. 140)

O avanço das tecnologias, a urbanização com redução de espaços de lazer, a violência, são outros fatores que atuam sobre a redução de possibilidades da vivencia de práticas corporais por esses indivíduos, que muitas vezes só tem a oportunidade de vivenciar estas práticas no ambiente escolar.

Em relação ao desinteresse pelas aulas teóricas, frequentemente questionadas, e não ver utilidade em sua prática, Betti e Liz (2003) esclarecem que isso ocorre pelo fato dos escolares associarem as aulas de Educação Física ao esporte, atribuindo a ela um caráter prático, realizado em um ambiente diferente da sala de aula, desvalorizando assim seu conteúdo teórico e não atribuindo um valor a disciplina.

Neste sentido, Bartholo, Soares e Salgado (2011) fazem referência a uma enquete realizada em CEFETES, que mostra as disciplinas que os alunos consideram as mais importantes:

> [...] existe um tipo de hierarquia entre as disciplinas e experiências escolares na visão desses estudantes. As disciplinas consideradas mais importantes pelos alunos são a

> matemática (22,4%) e a física (21,9%). A Educação Física aparece em oitavo lugar (3,31%). Talvez possamos interpretar parcialmente esse quadro pensando na forte associação existente entre escolarização e trabalho no ensino técnico ou entre esse tipo de formação e a busca pela continuidade na área tecnológica no ensino superior. Desse modo, a Educação Física, fortemente identificada com a dimensão do lazer, pode ser vista como uma disciplina complementar no currículo.(BARTHOLO; SOARES; SALGADO,2011,p.212)

Além dos motivos pessoais, relacionados a experiências e valores, existem as questões externas, como estrutura e falta de matérias, apontados como motivos para não gostarem das aulas. Vale ressaltar que expor o aluno a uma aula em um ambiente descoberto, no calor ou no frio, sem um vestiário para que possa tomar banho e se trocar antes de voltar a sala de aula, são pontos que geram uma desmotivação aos alunos do Ensino Médio, que muitas vezes cansados de uma rotina de estudos, preferem não se expor a prática das atividades.

A questão do absenteísmo dos colegas, citado no Colégio e Curso Progressão, foi interessante. O aluno relata que não gosta das aulas, pois os colegas não participam das aulas. Em uma pesquisa realizada por Betti e Liz (2003) eles concluem que a presença dos colegas é um fator decisivo para estimular os colegas, por outro lado apontam que:

> [...] há interferência dos mesmos, pois alguns não possuem uma participação cooperativa nas aulas, zombam dos menos habilidosos, provocam desentendimentos, contribuindo assim para que se deixe de gostar e até de participar das aulas de Educação Física. (BETTI; LIZ, 2003,p. 136)

A obrigatoriedade da Educação Física escolar, garantido pela Lei 9394/96, é questionada pelos alunos, que dentre outros motivos, atribuem a aula um sentindo ligado ao lazer e ao lúdico. Sendo assim, cabe ao professor esclarecer ao aluno o papel da Educação Física, apresenta-lo a cultura corporal e as suas variadas formas de expressão cultural, possibilitar que o aluno possua um conhecimento organizado, crítico e autônomo a respeito da chamada cultura corporal de movimento, (DAOLIO 1996).

No Colégio Pedro II, a questão do horário foi apontada como fator que dificulta o gosto pelas aulas, e nesse contexto Darido *et al* aponta que:

> [...] as escolas impõem aulas de Educação Física, mesmo para os alunos do período diurno, em período contrário ao das demais disciplinas. Para o aluno retornar a escola, muitas vezes distante de sua casa, ou para o aluno trabalhador a Educação Física fora do período sempre se constituiu num estorvo. (DARIDO *et al*, 1999, p.138)

Em pesquisa realizada com professores, Darido *et al* (1999) refere que os professores são favoráveis a realização das aulas no mesmo período das demais disciplinas, pois consideram que há uma valorização e integração da disciplina na escola, facilita o acesso dos alunos as aulas e reduz o número de faltas.

Outro fator que surgiu no Colégio Pedro II, foi a preocupação com os estudos. Segundo Darido *et al* (1999), esta é outra característica do Ensino Médio que acaba competindo com a Educação Física. A preocupação em investir no futuro, muitas vezes representado pela seleção para o ensino superior, vai se tornando uma exigência cada vez maior pela sociedade. Por isso, as expectativas acerca da Educação Física, quando existentes, ficam em segundo plano, como demonstram as pesquisas de Bartholo, Soares e Salgado (2011).

As críticas que surgiram com relação aos professores, também surgiram em um estudo realizado por Betti e Liz (2003), onde os alunos criticam o "jeito" de conversar com os alunos. O interesse e desinteresse não passam despercebidos pelos alunos. Em alguns casos, o modo de tratamento do professor para com os alunos é responsável pela permanência ou não nas aulas de Educação Física, Concluem Betti e Liz (2003).

Na sequência do questionário, a quarta questão procurou apontar o que os alunos gostavam nas aulas e perguntava o seguinte: "Do que mais gosta nas aulas de Educação Física no Ensino Médio?". As respostas obtidas foram divididas na tabela a seguir:

Categorias Citadas	CCP	CESA	CP2
Tempo ocioso/ ficar sentado/ não fazer nada	1	5	4
Método do professor	4	9	-
Aulas Práticas – Esportes, dinâmicas, jogos e brincadeiras.	**22**	**35**	**43**
Aulas Teóricas	1	-	-
Não gosta de nada	7	13	10
Integração entre alunos e turmas	3	8	3
Temas diferentes dos esportes	3	2	7
Aulas na piscina	-	-	11
*Futebol	5	25	20

A tabela demonstra um elevado interesse pelas aulas práticas, dentre elas os desportos, jogos, brincadeiras e as dinâmicas realizadas pelo professor. Vale ressaltar que dentre o famoso "quadrado mágico", composto pelo futebol, handebol, voleibol e basquetebol, o futebol foi o desporto que teve o maior número de citações, evidenciando que a cultura do futebol, presente em nosso país, é muito forte. Sobre o gosto dos alunos pelos desportos, Chicati (2000) aponta que:

> Acredita-se que esse gosto da maioria pelo desporto pode ser atribuído a diversos fatores, tais como o incentivo da mídia que somente mostra jogos, campeonatos de voleibol, futebol dentre outros e raramente promove a dança, a ginástica ou a luta (judô, capoeira...) em sua programação.(p.102)

Supõe-se que outro fator que influi no gosto dos alunos pelos desportos seja o incentivo dos pais a sua prática, em seus primeiros anos e durante a infância, e até mesmo as aulas de Educação Física do Ensino Fundamental, que geralmente tem o desporto como conteúdo principal, conclui Chicati (2000).

O desinteresse dos alunos se torna, mais uma vez, evidenciado, quando os alunos respondem que "não gostam de nada" nas aulas de Educação Física. Essas respostas estão carregadas de sentimentos, valores e subjetividade. E buscando uma estratégia para que o professor possa tentar modificar esse quadro, surge a quinta questão, que pergunta o seguinte: "Na sua opinião, o que poderia ser feito para melhorar as aulas e despertar seu interesse?"

As respostas foram analisadas e as sugestões semelhantes, em sua maioria relacionada aos interesses dos alunos. As sugestões foram divididas e apresentam-se na tabela a seguir:

Sugestões	CCP	CESA	CP2
Nada	**15**	10	2
Novas Propostas	6	6	10
Mais aulas práticas	7	11	-
Estrutura (cobertura)	5	11	-
Escolher a atividade – ser opcional (sem punição)	**10**	**16**	**33**
Mais simpatia e dinamismo do professor	-	4	12
Horário das aulas	-	-	**20**

Apesar das particularidades dos três colégios, as respostas passam por sugestões semelhantes, que giram em torno dos interesses dos alunos. Os alunos em sua maioria desejam que a disciplina seja opcional e que possam escolher o esporte ou a atividade que devem fazer. Em alguns discursos os alunos relatam o seguinte:

> Permitir que os alunos possam escolher as atividades que querem praticar, fazer debates sobre esportes e assuntos paralelos como violência, preconceito, etc. (aluno 57)

> Nos dar opção do que praticar nas aulas e realmente nos ensinar algo (aluno 139)

> A escolha do esporte sem duvida seria algo que incentivaria a pessoa a gostar de Educação Física (aluno 78)

Este relato demonstra que o aluno espera que a Educação Física seja mais que a prática esportiva, que ela possa (e pode) oferecer um leque de conteúdos que não fique restrito a atividade física. Assim como:

> Deveria haver mais dialogo com os alunos, para que cada um escolha seu esporte favorito. Assim as aulas de educação física seriam mais focadas, abrangentes naquela área e mais dinâmicas (aluno 154)

> Para despertar maior interesse a educação física poderia ser incentivada por meio de maior divulgação de sua importância e das regras dos esportes (aluno 189)

Assim como reconhecem que o interesse parte também do próprio aluno:

> Na verdade, quem gosta de Educação Física sempre gosta de todas as modalidades, já o aluno desinteressado, mesmo com a mudança, não vai passar a ser interessado. Quem gosta, sempre estará de acordo com o professor, afinal, ele sabe mais do que qualquer um de nós, montar uma boa aula, para praticarmos um bom exercício. (Aluno 79)

> As aulas em si não são desinteressantes, mas o sedentarismo típico de alguns jovens somado a rotina pesada, tiram a disposição do aluno. (Aluno 171)

Diante destes discursos, pode-se verificar que além dos motivos pessoais dos alunos, o que vem sendo proposto pela Educação Física escolar necessita ser revisto, visto que os alunos, ao não verem um sentido nas aulas, acabam se desinteressando e não atribuindo valor, a partir de uma visão mais crítica não atribuem crédito esta disciplina tão importante.

5. CONSIDERAÇÕES FINAIS

Os resultados da pesquisa, apesar de realizada em três colégios de diferentes contextos, remetem ao fato de que os alunos que não gostam das aulas de Educação Física em geral tem motivos parecidos. Sejam eles pessoais, relacionados a condição socioeconômica ou hábitos, questões estruturais, críticas à disciplina e a forma com que seus agentes (professor/escola) tratam dela, não atribuem crédito a disciplina, enfim, os alunos do Ensino Médio necessitam de uma Educação Física que atenda os interesses característicos deste momento de suas vidas.

Para isso, neste trabalho ficou evidenciado que há a necessidade de rever o que está sendo proposto nas aulas do Ensino Médio. É preciso ir além das práticas esportivas fortemente utilizadas no ensino fundamental, significar as aulas e dar um sentido aos conteúdos, além de um esforço coletivo para legitimar o papel da disciplina no contexto da escola, para que, desta forma, o aluno possa descobrir os motivos e sentidos nas práticas corporais.

Devem experimentar diferentes conteúdos, para além do "quadrado mágico", visto que o aluno que já vivenciou isso no ensino fundamental terá condições para optar por aquilo que lhe dará prazer e conhecimento, o que possivelmente despertará seu interesse. Darido (2004) aponta que um dos motivos que levam os indivíduos na fase adulta a não gostarem de atividades físicas, se encontra nas experiências anteriores, vivenciadas nas aulas de Educação Física. Em geral estas experiências não foram marcadas pelo sucesso, os alunos não encontram prazer e conhecimento, e acabam se afastando da prática.

Mesmo quando o aluno gosta da disciplina, ele separa o prazer que ela pode oferecer e a importância que ela tem em relação as outras disciplinas do currículo, principalmente pela proximidade com a seleção para o ensino superior, a preocupação com os estudos e formação profissional, tão exigida na sociedade atual.

Neste contexto surge a figura do professor, o grande responsável por motivar os alunos e significar suas aulas. Chicati (2000) aponta que a falta de motivação do professor afeta diretamente os alunos. Sendo assim, é importante que o professor esteja sempre motivado e em busca de novos conteúdos para que possa manter sempre a motivação dos alunos.

A pesquisa aponta que o gosto dos alunos estão relacionados a motivos intrínsecos, motivos pessoais, e motivos extrínsecos, como estrutura e conteúdos. O professor passa a ser um mediador entre estes motivos, tendo a responsabilidade de criar um processo de motivação para que haja o interesse dos alunos nas aulas e que possam reconhecer a importância da disciplina, visto que o professor é a maior referência sobre o papel da Educação Física no contexto escolar e na vida do aluno.

O professor deve apresentar o aluno a cultura corporal de movimento, formando o indivíduo que vai reproduzi-la e transforma-la. Estimular o aluno a um estilo de vida ativo e oferecer ao aluno condições para que ao fim de sua vida escolar, ele tenha autonomia em relação a prática de suas atividades físicas, podendo questionar o que lhe apresentam como programas de atividades físicas, seja em academias, através de leitura ou pela mídia, para que possa avaliar a qualidade do que esta sendo oferecido e identificar as práticas que sejam melhores pra si e lhe tragam prazer.

Darido (2004) afirma que é mais simples incentivar as crianças a praticar atividade física do que os adultos e por isso, o professor dentro da Educação Física escolar deve estar atento para fazer de suas aulas um momento saudável e prazeroso para os alunos, para que estes possam entender a importância da Educação Física, pois quando se tem prazer e se aprecia determinada atividade, é mais provável que se continue durante sua vida.

É uma tarefa difícil atender os interesses de todos, mas o professor é o responsável por criar estratégias para estar sempre estimulando os alunos, o descontentamento apontado gira em torno da necessidade de aulas diferentes e com variações, vale a pena escutar o aluno, o sujeito que necessita deste conteúdo, e o professor quando motivado, certamente é capaz de dar ao aluno tudo aquilo que ele necessita. Podemos não atingir a todos diretamente, mas com certeza atingiremos aqueles que mais precisam.

6. REFERÊNCIAS

BALBINOTTI, M.A.A. *et al.* Motivação à prática regular de atividades físicas e esportivas: um estudo comparativo entre estudantes com sobrepeso, obesos e eutróficos. **Motriz: revista de educação física**, Rio Claro, v. 17, n. 3, Set. 2011.

BARDIN, Laurence. **Análise de Conteúdo**. Lisboa: edições 70, 2004

BARTHOLO, T.L; SOARES, A.J.G; SALGADO, S.S. Educação Física: dilemas da disciplina no espaço escolar. **Currículo sem Fronteiras**, Rio de Janeiro. v.11, n.2, pp.204-220, Dez. 2011.

BETTI,M. Ensino de primeiro e segundo graus: educação física para quê? **Revista Brasileira de Ciências do Esporte**, Campinas, v.13, n.2, p. 282-287, 1992.

BETTI, M.; LIZ, M.T.F. Educação física escolar: a perspectiva de alunas do ensino fundamental. **Motriz**, Rio Claro, v. 9, n. 3, p. 135-142, set/dez. 2003

BETTI, M.; ZULIANI. L.R. Educação física escolar: uma proposta de diretrizes pedagógicas. **Revista Mackenzie de Educação Física e Esporte.** Bauru, p. 73-81, Set. 2002.

BRASIL/MEC. Secretaria de Educação Fundamental. Linguagens, códigos e suas tecnologias. Brasília. Ministério da Educação, 2006. 239 (orientações curriculares para o ensino médio; vol. 1) Disponível em: <http://portal.mec.gov.br/seb/arquivos/pdf/book_volume_01_internet.pdf >. Acesso em 20 set 2014.

BRASIL. **Lei de Diretrizes e Bases da educação nacional** – n.º 9.394. Brasília: 20 de dezembro de 1996.

CAUDURO, M.T. **Investigação em Educação Física e esportes:** um novo olhar pela pesquisa qualitativa. Novo Hamburgo: Feevale, 2004.

CHICATI, K.C. Motivação nas aulas de educação física no ensino médio. **Revista de educação física**, Maringá, v. 11, n. 1, p. 97-105, 2000.

COLETIVO DE AUTORES. **Metodologia do ensino de Educação Física**. São Paulo: Cortez, 1992.

DAOLIO, J. Educação física escolar: Em busca da pluralidade. **Revista Paulista de Educação Física.** São Paulo. P. 40-42. 1996

DARIDO, S.C. A educação física na escola e o processo de formação dos não praticantes de atividade física. **Revista Brasileira de Educação Física e Esporte**. São Paulo, v. 18, n. 1, p. 61-80, jan./mar. 2010.

DARIDO, S.C. *et al.* Educação física no ensino médio: reflexões e ações. **Motriz: revista de educação física**, Rio Claro. V. 5, n 2, p.138-145 Dez.1999

FERREIRA, M.S. Aptidão física e saúde na educação escolar: ampliando o enfoque. **Revista Brasileira de Ciências do Esporte**, Florianópolis, SC, v. 22, n. 2, Jan. 2001.

FONSECA, M.P.S. **Formação de Professores de Educação Física e seus desdobramentos na perspectiva dos processos de inclusão/exclusão: Reflexões sobre Brasil e Portugal**. Rio de Janeiro: Faculdade de Educação da Universidade Federal do Rio de Janeiro, 2014 (Tese – Doutorado em Educação) 220f.

FREIRE, J.B. **Educação de corpo inteiro**: teoria e prática da Educação Física. São Paulo, Scipione, 1994.

LAZZOLI, J.K. *et al.* Atividade física e saúde na infância e adolescência. **Revista Brasileira de Medicina do Esporte.** Curitiba. v.4, n.4, pp. 107-109. Ago.1998.

MENDES, M.I.B.S; NÓBREGA, T.P. Cultura de movimento: Reflexões a partir da relação entre corpo, natureza e cultura. **Pensar a Prática**, v. 12, ago. 2009.

MINISTÉRIO DA EDUCAÇÃO/ SECRETÁRIA DA EDUCAÇÃO. PCN: ENSINO MÉDIO: linguagens, códigos e suas tecnologias. Brasília: M.E/ S.E; 1999.

PALMA. A *et al.* Insatisfação com o peso e a massa corporal em estudantes do ensino fundamental e médio do sexo feminino no município do Rio de Janeiro. **Revista Brasileira de Ciências do Esporte**, Florianópolis, SC, v. 35, n.1,p 51-64. set. 2012.

PAULA, M.V; FYLYK, E.T. Educação física no ensino médio: fatores psicológicos. Disponível em <www.ensino.eb.br/portaledu/conteudo/artigo8323.pdf>. Acesso em jun. 2014.

SANTOS, M.A.G. N; PICCOLO, V.L.N. O esporte e o ensino médio: a visão dos professores de educação física da rede pública. **Revista brasileira educação física e esporte**, São Paulo, v. 25, n. 1, Mar. 2011.

TENORIO, M.C.M. *et al.* Atividade física e comportamento sedentário em adolescentes estudantes do ensino médio. **Revista Brasileira Epidemiologia**, São Paulo, v. 13, n. 1, Mar. 2010.

FICHA DE AVALIAÇÃO DO TCC – EEFD/UFRJ

Formato do TCC:Monografia (   ) ou Artigo (   )

Aluno: Francisco Dionleno Rodrigues Holanda DRE: 111216893

CRITÉRIOS DE AVALIAÇÃO	Professor Orientador		Professor Convidado
1. Impressão geral: (1,5 pontos)	**Aluno 1**	**Aluno 2**	
a) O trabalho contribui para a área, apresenta uma forma produtiva de conhecimento?			
b) Nota-se, no trabalho, a capacidade/elaboração crítica dos alunos?			
c) Os alunos se envolveram no processo de elaboração do trabalho? Demonstraram organização e independência intelectual?			XXXXXX
d) O trabalho está bem encadeado?			
NOTA 1 =			
2. Formatação, organização, redação: (1,5 pontos)			
a) Os critérios básicos de formatação foram seguidos?			
b) A redação é clara e organizada, inclusive as citações?			
c) As referências são adequadas e atuais?			
NOTA 2 =			
3. Conteúdo: (7 pontos)			
a) A Introdução apresenta claramente os elementos básicos?			
b) A Fundamentação Teórica é coerente, consistente e atual?			
c) Os procedimentos metodológicos são adequados e estão claramente descritos?			
d) Os dados são adequadamente apresentados e discutidos? (no caso de pesquisa teórico-empírica)			
e) A Conclusão é coerente com os objetivos?			
NOTA 3 =			
Soma das notas (1 + 2 + 3) =			
Nota Prof. R.C.C (Processo + Apresentação = Máx. 10)			XXXXXX
MÉDIA FINAL =	**Aluno 1**	**Aluno 2**	

(Nota Orientador X 2 + Nota Convidado + RCC / 4)		
Assinatura Prof. Orientador:		
Assinatura Prof. Convidado:		
Ass. Prof. RCC:	Data:	

Printed in Great Britain
by Amazon

84214337R00034